Le Livre à
de Balthazar

—·•❦·—

À la poursuite du lapin brun

Pour Isadora, qui poursuit toujours le lapin brun.
M-H.P.

À ma belle Cécile D..
C.F-R.

Éditrice : Claire Cagnat
Conception graphique et mise en page : Raphaël Hadid
© Hatier, 8 rue d'Assas, 75006 Paris, 2013 – ISBN : 978-2-218-96048-2
Tous droits de reproduction, de traduction et d'adaptation réservés pour tous pays.
Loi n°49 956 du 16 juillet 1949 sur les publications destinées à la jeunesse.
Dépôt légal : 96048 2 / 03 - mai 2015
Imprimé en France par Clerc s.a.s. – 18200 Saint Amand Montrond

Le Livre à Compter de Balthazar

À la poursuite du lapin brun

Marie-Hélène Place

Illustré par Caroline Fontaine-Riquier

Hatier
jeunesse

C'était l'une de ces journées où dehors

il faisait si mauvais, que dedans il faisait bon.

Balthazar et Pépin regardaient la pluie tomber.
Les gouttes coulaient le long des vitres
et rebondissaient dans les flaques.
Lorsque, tout à coup, ils virent…

UN lapin brun
sauter dans le jardin.

Ils enfilèrent leurs bottes,
leur imperméable, prirent
un parapluie, et ils sautèrent
dans le jardin, à la recherche
du lapin.

En sortant, ils rencontrèrent
DEUX yeux bleus. Mais ce
n'étaient pas ceux du lapin,
alors ils continuèrent leur chemin.

2

Ils coururent au-dessus des flaques,
et dans les flaques aussi.
Et dans une flaque ils virent…

TROIS lapins blancs qui flottaient
dans le ciel gris,
juste au-dessus du poulailler.

– Le lapin est peut-être entré
se mettre à l'abri, dit Balthazar.

3

Mais lorsqu'il pleut si fort, Marie, Rubis,
Mollie et Julie, les **QUATRE** poules,
restent bien au chaud dans le poulailler,

et il n'y a pas de place
pour un lapin.

Dehors, **CINQ** beaux escargots
étaient très contents de se promener
sous la pluie.

Balthazar et Pépin se remirent
à courir derrière le lapin.

5

Sous les racines du vieux châtaignier,
il y a la cachette favorite de Pépin.
Il est sûr d'y trouver le lapin.

Dans le noir, Pépin
sent bien qu'il y a
quelqu'un…
Mais ce n'est pas le lapin.
Ce sont **SIX** chauves-souris
endormies.

– Viens Pépin, dit Balthazar, j'entends du bruit dans l'atelier de bricolage.

Le lapin était sûrement
passé par là : les bocaux
de clous étaient sens
dessus dessous et la boîte
de vieilles lunettes
gisait par terre.
Balthazar et Pépin
ramassèrent les
SEPT paires de lunettes
et les rangèrent bien
dans leur boîte.

Puis, leur attention fut attirée
par les **HUIT** tournevis
accrochés au mur.
C'était tellement amusant
de les compter et de les ranger
du plus petit au plus grand.
Mais là, ce n'était vraiment pas
le moment…

Ils repartirent à la poursuite du lapin brun.

— Allons voir les canards, proposa Balthazar.

Ils demandèrent au colvert s'il avait vu le lapin.
– Oui, cancana le canard, je l'ai vu sauter par là…

Dans les hautes herbes,
tout près de la mare,
il y avait un nid,
avec **NEUF** œufs.

L'un d'eux était en train d'éclore. Pépin voulait
le regarder, juste au cas où c'était un œuf de lapin,
mais Balthazar voulait se remettre à courir vite,
parce qu'il sait que les lapins ne font pas d'œufs.

Ils s'en allèrent sur la pointe des pieds,
pour ne pas réveiller les bébés.

– J'ai faim, dit Pépin.

Et comme le fond des poches est fait
pour cacher des trésors inespérés,
Balthazar y trouva…

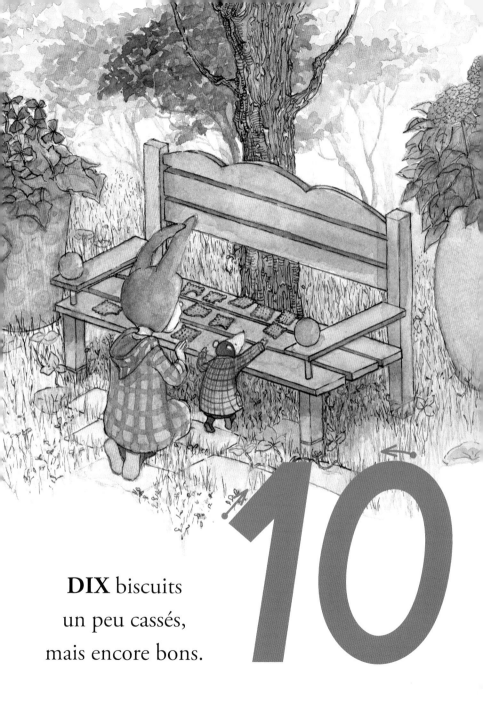

DIX biscuits
un peu cassés,
mais encore bons.

Ils s'installèrent pour les manger.

Et c'est à ce moment-là
que « tu-sais-qui » arriva…

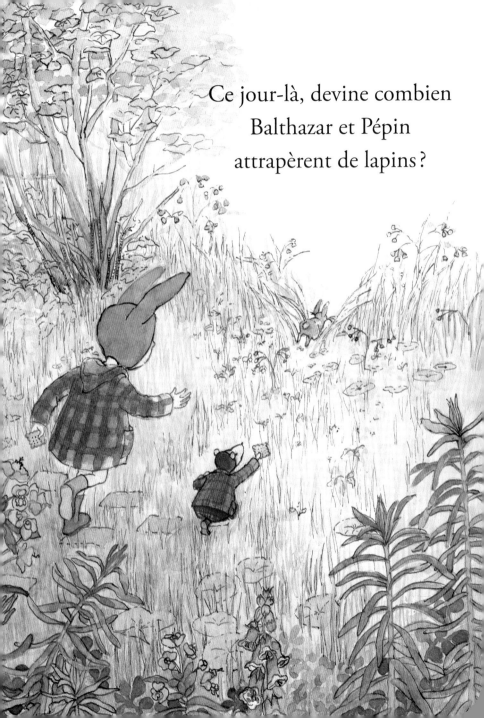

Ce jour-là, devine combien
Balthazar et Pépin
attrapèrent de lapins?

ZÉRO !

Mais dans leurs rêves,
ils en avaient attrapé **CENT**.
CENT lapins blancs.

Et le lapin brun, lui,
saute toujours dans le jardin…